그대의 오늘이고 싶다

발 행 | 2024년 8월 5일
저 자 | 손지안
펴낸이 | 한건희
펴낸곳 | 주식회사 부크크
출판사등록 | 2014.07.15.(제2014-16호)
주 소 | 서울특별시 금천구 가산디지털1로 119 SK트윈타워 A동 305호
전 화 | 1670-8316
이메일 | info@bookk.co.kr

ISBN | 979-11-410-9707-3

www.bookk.co.kr

{저자 소개}

저자: 손지안

작가의 말: 누군가에게 오늘이 되고 싶다.
위로가 필요한 세상 속에서
잠시나마 누군가에게 위안이 되어주는
편안한 안식처와 같은 사람이고 싶다.

학력: 서울 양천초등학교 졸업(2021학년도)
부천 까치울중학교 재학(2022/2023학년도)
명덕여자중학교 재학(2024년 현재 재학 중)

인스타그램 @an_my.5

"아픈 기억마저 편히 쉬어갈 수 있는 당신만의 시간이 될게요"

TO. ______________________________

[차례]

오늘이라는 시간 속에
위로라는 단어를 품고 잠시라도
머물 수 있기를 간절히 바라고
바라겠습니다.

오늘 하루를 시작하는 분들께는
오늘은 괜찮을 거라고,
오늘 하루를 마치는 분들께는
오늘도 고생 많았다고 전하면서

이 책의 첫 장을 열어봅니다.

용서

용서란, 그 사람을 이해하는 것이 아니다.
용서란, 그 사람이 나보다 못난 사람임을
온전히 받아들이는 것이다.

힘내라고, 아프지 말라고, 잘해보라고
말하고 싶지 않다.

그저 기대도 된다고, 쉬어가도 된다고
지금까지 잘 버텨줘서 고맙다고
말하고 싶다.

하루의 가치

특별하진 않더라도
평범한 당신의 하루를
누군가의 말 한마디로 인해 망치기엔

당신은 너무 아까운 사람입니다.

그리고 너무나 소중한 시간입니다.

특별함

평범한 일상속에서
소중함을 찾는다면

당신의 오늘은 특별합니다.

이제 쉬어보자

그만하면 됐다.
온종일 이리 치이고 저리 치이고
남들 시선에 눈치 보느라
많이 힘들었잖아.

이제 쉬어도 돼.
나에게 말없이 기대도 돼.

너의 마음에 다시 봄이 다가올 때까지
내가 너의 쉼터가 되어줄게.

이렇게 너의 마음에 더
가까워져 볼게.

당신은
약한 사람이
아닙니다

당신은 강인한 사람입니다.

단순히 당신이 긍정적으로
생각하길 바라는 마음으로
하는 말이 아닙니다.

남들은 알지 못하는
당신만의 깊은 상처를 안고
여기까지 왔다는 건

당신이 강인한 사람이라는 증거입니다.

다른 사람들은 몰라도,
알아주지 않더라도
나는 압니다.

당신이 얼마나 강한 사람인지.

새로운
아침을
만난다는
건

오늘도 그대가 있기에 힘을 냅니다.
오늘도 그대가 있기에 미소 짓습니다.
오늘도 그대가 있기에 살아갑니다.

그대가 있기에 새 아침을
맞이하는 사람이 있다는 걸
기억해 주길 바랍니다.
그리고
나도 그대의 오늘이고 싶습니다.

버팀목이 될게

당신과 같은 아픔을
겪고 있는 사람이
있다고 해도
당신에겐 위안이 되지 않는다.

지금의 당신이 아픈건 아픈건데
그 어떠한 말이 위안이 되겠는가.

그저 내가 당신의 곁을
지킬뿐이다.

어린 시절

어린 시절에 겪은 상처는
시간이 지나도 쉽게
아물지 않는다.
혼자 웅크려 소리 없이 울고
아파하던 지난날들이 몇인지
셀 수조차 없다.

그런 날들이 모여
오늘을 마주한 당신이
고맙고 대견하다.
현재의 삶이 그때보다 더
나아지지 않았다고 해서
어린 시절의 당신에게
미안해할 필요 없다.

어쩌면 오늘을 마주한 것이
어린 시절의 꿈일지도 모른다.

잘 지낸대

나도

너가 잘 지내서 좋다.

그동안 많이 아팠으니까.
그동안 많이 힘들었으니까.

그렇지만,

나도 잘 지내고 싶다.

언제나

밝게

빛나는

당신에게

어느 순간부터 그 많고 많던 별들은
모습을 감추기 시작했다.
별들이 하늘에서 밝게 반짝이고
있을 때는 몰랐다.

사람들은 말한다.
하늘 위에 빼곡하고도 밝게 빛나던
별들이 그립다고.

당신도 그렇다.

당신은 언제나 밝게 빛나고 있어서
밝게 빛나 보이지 않을 뿐이다.

언젠가 당신의 가치를
인정해 줄 사람이
당신의 곁에 머물 것이다.

익숙함에
무뎌지지
맙시다

익숙함에 무뎌져
당연하다고 생각하지 맙시다.

누군가의 수고로움이 있었기에
당연해질 수 있었음을

감사해야 합니다.

그런 사람이
좋다

힘들 때 옆에 있어주겠다는 사람보다
힘들 때 같이 아프겠다는 사람이 좋다.

힘내라고 말하는 사람보다
같이 버텨보자고 말해주는 사람이 좋다.

이렇게 나와 같이 내 길을
걸어주는 사람이 좋다.

어쩌면

너무

힘들어서

힘들다고 표현을 하는 사람이
표현을 안 하는 사람보다
더 낫다는 말이 있다.
그렇지만 이 말은 오로지 힘들다고
표현하는 사람의 마음을 온전히
감싸 안아줄 수 있는 사람들에게만
해당된다. 그러지 못하는 사람들은
그저 힘들다고 표현할 정도면
많이 힘든 게 아니라고
생각하기 마련이다.
사람은 너무 힘들어서 그 누구에게도
말하지 못할 때가 있다.
하지만 더 이상 버틸 수 없을 정도로
벅차고 힘들어서
힘들다고 표현할 때도 있다.
힘들다는 말을 너무 가볍게
생각하지 않기를 바란다.

기약없는
기다림

기약 없는 그대의 침묵을
묵묵히 응원합니다.

기약 없는 그대의 시간을
끝까지 기다리겠습니다.

언제든 돌아와도 좋습니다.

부디 혼자가 아니라는 걸
알아줬으면 좋겠습니다.

그대의 뒤를 늘 지키고 있으리라
약속합니다.

혼자가
아니라는
건

혼자가 아니라는 말이
오히려 슬픔을 불러올 때가 있다.
혼자라는 생각이 이미
마음을 지배해버리면 그렇다.

혼자라는 생각은 오히려 주변에 사람들이
많을 때 더 자주 느끼기도 한다.

그런 이들에게 혼자가 아니라는 것의
의미를 이렇게 말해주고 싶다.

혼자가 아니라는 건 옆에 누군가가
있어주는 게 아니다.

혼자가 아니라는 건 당신의
마음에 공감하는 사람들의
시간을 의미하기도 한다.

좋은 사람을 만나기 위한 단계

당신의 곁을 스쳐 지나가는
인연도 있듯이
당신의 곁을 스쳐 들어오는
인연도 분명 있을 겁니다.

봄이 되기까지 추운 겨울을
당연하게 이기며 견뎌왔듯이

당신의 마음을 얼어붙게 한
사람을 만난 것도

당신의 얼어붙은 마음을
꼭 안아줄 사람을 만나기 위한
필연적인 인연이었던 거죠.

의미

있는

일

좋아하는 일을 하는 것만큼
행복한 일은 없는 것처럼,

잘하는 일을 하는 것만큼
자랑스러운 일은 없는 것처럼,

의미 있는 일을 하는 것만큼
의미 있는 일은 없을 겁니다.

좋은 의미든 나쁜 의미든
모두 당신의 삶에 또 하나의
의미를 가져다줄 겁니다.

당신에게 의미 있는 일이
당신에게 의미 있는 기억을

선물해 줄 것입니다.

그게 날

위한 거야

네가 안 아플 때 나도 안 아플래.

네가 잘 지낼 때 나도 잘 지낼래.

네가 힘들 때 나도 힘들래.

그러니까 제발
혼자 아프지 마.

기억되고 싶지 않다

떠올리고 싶지 않은 시간도,

다시 되돌리고 싶은 순간도,

누군가와 함께 했던 시간도

그날의 기억이 아닌
웃으며 맞이하는
추억이 됐으면 좋겠다.

소중한
사람에게만
진심이면 돼

진심이 잘 전달되기 위해
아무리 애를 써도
진심을 알지 못하는 사람도 있듯이

굳이 애쓰지 않더라도
진심을 알아주는 사람도 있습니다.

당신을 소중히 여기지 않는 존재에게까지
당신은 소중한 사람일 필요가 없습니다.

당신의 마음은 당신에게
소중한 사람에게만

진심이길 바랍니다.

결과로부터

오는

새로운

기회

결과가 좋지 않더라도
너무 절망 속에 빠지지 않았으면 좋겠다.
결과가 어떻든 다른 방법으로 그 길을
다시 걷거나 다른 길로 나아갈 수 있는
기회가 주어졌다는 뜻이기도 하니까.
결과가 항상 좋았던 사람들은
경험해 보지 못하는 기회를,
스스로를 더 견고한 사람으로
만들어 주기 위한
특별한 기회가 주어졌다는 뜻임을
기억해 줬으면 좋겠다.

수많은 결과들 끝에 언젠가는
꽃피울 결과가 찾아올 거라는 믿음으로,
그 끝에 당신은 정말 멋진 사람이
되어 있을 거란 걸 나는
믿는다.

아픔에
익숙해져
간다는
건

아픔에 익숙해지며 살아가는 시간들이
익숙해져 간다.

스스로의 아픔을 뒷전으로 한 채
포장된 행복을 추구하는 삶을 살곤 한다.

이제는 익숙함 속에 묻힌
감정들을 조금씩 헤아려주길.

이렇게 남들과는 다른 눈으로
스스로를 바라봐 줬으면 좋겠다.

소중한 사람

소중한 사람이란 건

굳이 잘 보이지 않더라도,
굳이 애쓰지 않더라도

진심을 알아주는 사람.

그 진심에 감사할 줄 아는 사람.

너를 더

사랑해 줬으면

다른 사람 챙기고 아끼는 것도 좋지만

다른 이들보다 스스로를 더 아끼고
챙길 수 있기를.

소중한 사람들보다
스스로가 더 소중해질 수 있기를.

이렇게

스스로에게 다정한 사람이
되어줬으면 좋겠다.

나는

네가

네가

되기를

바랄게

발전하는 모습보다는
지금 있는 그대로가 좋아.

네가 누구와 같은 사람이 되길
바라기보다는
스스로가 더 나 다워 지길 바라고 있어.

새로운 모습을 찾기보다는
원래 스스로의 모습을
온전히 되찾기를 원해.

그대를 위하는 사람의 태도

이별을 하는 순간이 오면 안다.
이 사람이 얼마나 나를 위하는 사람인지.

예정된 이별의 시간 속에서
자신을 위해 마지막 순간까지
최선을 다해 도움을 주길 원하기보다는

새로운 길을 떠나는 그대의
새로 시작하는 그 길이 부디
지금보다 더 아프지 않기를 바라며,
더 행복하기를 바라며,
마지막 순간까지라도
조금은 편할 수 있기를 바라며

이별에 아쉬움을 담아
웃어줄 수 있는 사람이
진정 그대를 위하는 사람인 것을.

마음이
맞지 않는
사람

인간관계는 마음이 맞는 사람을
찾아가는 게 아니라
어쩌면
마음이 맞지 않는 사람들을
하나둘씩 지워버리는 것과
같을 지도 모르겠다.

마음이 맞지 않는 사람이 당신을
욕하며 힘들게 한다는 것은
당신을 힘들게 하는 인생의
변수를 지울 수 있는 기회라는 걸
기억했으면 좋겠다.

당신을 힘들게 하는 사람과 더 멀어질 수
있는 기회가 주어짐에 조금은
용기를 내길 바란다.

그런 그대에게
그런 사람이고
싶다

언제나 늘 누군가를
먼저 신경쓰고 챙기는
그런 그대에게

언제나 늘 본인의 아픔보다
남의 아픔을 생각하는
그런 그대에게

나 또한
그런 사람이 되어봅니다.

때로는

스스로를

인정해

주세요

본인 스스로를 너무 엄격한 틀에
가두지 않았으면 좋겠어요.

존재만으로도 정말 차고도 넘치다고
전하고 싶어요.

시련을 묵묵히 견뎌오고, 견뎌가고 있는
당신은 정말 대견합니다.

결과의 감정만 바라보다 보니
과정의 감정에는 무심했을지도 모릅니다.

이 말이면 충분해요.

"그동안 고생 많았어, 고마워"

아픈 과거를
품고 있는
당신에게

남들과는 조금 다른 아픔을 겪었던
유년기를 떠올리며
스스로를 지켜주지 못해서
미안하다는 말을
지금에서야 어린 당신에게 전하곤 한다.

그렇지만 나는 당신의 유년기에게
이렇게 말해주고 싶다.

지켜주지 못해서 미안하다는 말 대신
지금까지 무사히 잘 견뎌줘서 고맙다고,
그때의 선택이 그때는 스스로를 위한
최선이었을 거라고 말이다.
어쩌면 어렸을 당신에게는
미안하단 말보다는 견뎌줘서 고맙다며
용기를 건네는 든든한 당신의 편이
필요했을지도 모른다.

해줄 수 있는

표현을

모두 담아서

앞으로 남은 인생의 시간만으로
소중한 사람들에게
마음을 전달하기에는 턱없이 부족하다.

해주고 싶은 말들을
마음속에 담아두는 것보단
소중한 사람의 마음에 담아주며

아무리 멀리 떨어져 있더라도
마음이 함께할 수 있도록

차고도 넘치게 표현했으면 좋겠다.

울어도 돼요

비가 오고 나면 맑은 하늘이 찾아오듯
울고 나면 마음에 안개가 걷힐 거예요.

우리는 흔히 위로라며
울지 말라는 말을 자주 건네죠.
마치 울면 더 안좋아지는 것처럼
들리기도 합니다.

그렇지만

울어도 돼요.

우는 건 마음속에 낀 먼지를 씻어내는
꼭 필요한 과정이거든요.

그런 날
있잖아요

그런 날이 있다.
왠지 모를 우울감에 빠지게 되는 날.
되는 게 하나도 없는 날.
바쁜 하루를 보내고 이런저런 일들로
잠자리에 들기가 힘든 날.

그래도 괜찮아요,

스스로를 위해서 기분전환하려
너무 애쓰지 않아도 돼요.
그저
잠깐의 쉼표가 필요한 것일 뿐이에요.

쉼표가 필요한 날에
너무 물음표 짓지 않았으면 좋겠어요.

그저 오늘은 그냥 그런 날인 걸요.

잊힌 존재

일도 인간관계도
항상 잘해왔던 사람의 존재는
잊히기 마련이다.

늘 그랬듯이라는 생각 속
착각에 빠져 소중한 그 사람의
가치를 잊는다.

그 사람이 떠나고서야 뒤늦게
그 빈자리를 느끼게 된다.

때로는 익숙함의 가치를
잊을 필요도 있다.
그렇게 늘 최선을 다하는 사람,
늘 곁을 지켜주는 사람의 존재에
감사할 수 있기를 바란다.

온도

느끼는

마음으로

마음에도 각자가 가진 온도가 있다.
때로는 너무 차가워서
따뜻하게 하려고 애를 쓰기도 한다.

그렇지만

너무 차가워진 감정을 굳이 따뜻하게
만들려고 애쓰지 않았으면 좋겠다.

차가워진 마음의 온도를 그저
너무 춥게만 바라보지 않기를.

차가워진 온도 조차
따뜻하게 바라봐 줬으면.

부정적이어도 좋아

우리는 때로 부정적인 사람 근처에 가면
되려 같이 부정적이게 된다며
부정적인 사람을 더 부정적으로
몰아가곤 한다.
반대로 긍정적인 사람 근처에 있으면 같이
긍정적이게 된다며
부정에는 부정의 의미를, 긍정에는
긍정의 의미를 부여하곤 한다.
어쩌면 부정적인 사람,
긍정적인 사람이란 건 없을지도 모른다.
그저 부정적이라는 인식에
긍정이 숨겨져서,
긍정적이라는 인식에 부정이 숨겨져서
그렇게 보이는 걸 수도 있다.
진정한 긍정이란 건 그 사람의 마음을
그저 있는 그대로 사랑해줄 수 있을 때
생긴다.

괜찮아질

거야

다들 이런 경험 하나쯤은 있을 거다.
길에서 넘어지면서 무릎이 까져서
피가 났던 경험.
그 피는 연고를 바르고 밴드를 붙이면
시간이 지나서 딱지로 자리를 잡는다.
그리고 그 딱지는 억지로 떼어내면
오히려 상처가 덧나게 된다.

사람의 마음도 똑같다.
마음의 상처를 억지로 낫게 하려
애쓰다 보면 오히려 더 힘들어지게 된다.
마음의 상처도 시간이 지나면 서서히
사라지게 될 거다.
사라지지 않더라도 그 상처는
흉터로 남게 될 것이고, 결국엔
그 흉터마저 마음의 새살이
자리 잡으면서 점점 잊힐 거란 걸.

오늘의 행복을 만드는 법

작은 행복을 만드는 첫 단계는
감사하는 마음입니다.

아침에 일어나서 가족 또는 친구에게
오늘도 잘 지내라며 안부를 전해보아요.

학교에서 하교할 때, 직장에서 퇴근할 때
오늘도 고생했다며 스스로에게
고맙다고 전해보아요.

오늘도 평범했지만, 어쩌면 힘들었지만
오늘을 지내준 스스로에게
고맙다고 전해보아요.

이렇게 사소한 일이더라도 감사할 수 있는
오늘을 보낸 것에 감사하며
하루를 마무리해봐요.

위로

그토록 바라던

거창한 위로를 바라는 것도,
이해해 주길 바라는 것도 아닐 거예요.

그저 아픔을
가볍게 생각하지 않길
바랄 거예요.

아픔을 이겨낼 방법을 알고 싶은 것도,
힘을 얻고 싶은 것도 아닐 거예요.

그저 곁을 오로지 지켜주길
바랄 거예요.

말로 단정 지을 수 없는 것

소중함.

행복.

사랑.

모두 말로 단정 지어
표현할 수 없는
감정들이지만,
마음을 통해 느낄 수 있는 것들.

눈으로 볼 수는 없어도
가끔은 눈에 들어오는 것들.

꿈의 대화

멋지게 포장된 말이 오가는 대화가 아닌
서툴지만 진심을 표현하는 대화.

좋은 말, 긍정적인 말만
주고받는 대화가 아닌
모든 감정을 주고받는 대화.

내 말을 좋아해 줘서 나누는 대화가 아닌
나를 좋아해 줘서 나눌 수 있는 대화.

마침표로 끝나는 대화가 아닌
느낌표로 가득 차며 잠시 쉬어가는 대화.

진정한 어른

진정한 어른은

자신의 부족함을

인정할 줄 아는 사람이다.

어린아이들에게 부끄러움 없는 어른이

되려고 노력하는 사람.

다른 이들에게 올바른 본보기가

되어주는 사람.

자신이 한 말에

책임을 질 줄 아는 사람.

어떨 땐
남보다 못한 게
가족인걸

때로는 나를 가장 잘 모르는 게
가족이기도 하다.
무한한 사랑 속에
서로의 감정이 묻혀서
그런지도 모르겠다.

가족에게 받는 상처는 남에게 받았던
상처들보다 더 깊이 오래 박히게 된다.

가장 가까우면서도 서로에게 가장
무심한 게 가족인걸.

부모라는 이름표로

지금 생각해 보니
부모가 된 부모님의 나이는
너무도 어렸다.

부모는 어쩌면 아이와 함께
어른이 되어가는 존재이지 않을까.

부모로서 처음이라 모든 게 서툴지만
아이에겐 서툰 모습을 감춰야만 했던
부모라는 이름의 무게.

아이와 함께하는 모든 순간이 처음이지만
아이에게만큼은 능숙해져야만 했던
그 이름.

그렇지만, 자식에 대한
조건 없는 사랑은 처음부터 완벽했단걸.

진정한 친구

꼭 무언가를 해주지 않더라도
서로가 존재함에 감사하는 친구.

오랜만에 연락을 하더라도
어색한 기색 없이 반겨주는 친구.

침묵의 시간을 묵묵히
지켜주고 기다려주는 친구.

서로의 아픔을 비교하지 않는 친구.

결과의 감정보단 과정의 순간을
함께하는 친구.

꾸밈없는 대화를 할 수 있는 친구.

먼저 떠난 이에게

사람은 누구나 소중했던 사람과의
이별의 순간을 마주하게 된다.

먼저 떠난 이에게 웃으며
마지막 인사를 건네는 방식보단
먼저 떠난 이가 그동안 겪었을 아픔에
마지막 인사를 건네줬으면 좋겠다.

떠난 이와의 기억에는
작별 인사라는 것이 없다.

평생 마음 깊은 곳에
떠난 이의 흔적이 머물 것이다.

평생을 잊지 않겠다고, 남은 여정을
떠난 이와의 기억으로 채우리라 말해주길.

고맙습니다
살아줘서

살아줘서 고맙다는 말은
뭔가 비극에 몰렸을 때 하는 말 같지만,
어쩌면 평범한 오늘을 보내는 모두에게
필요한 말일 수도 있다.

지금 이 자리까지 오느라
얼마나 많은 시간을 외로이 보냈는지.

그럼에도 지금까지 묵묵히 아픔을
견뎌와준 당신은 대견하다.

오늘도 존재해 줘서,
살아줘서 고맙습니다.

무례한
사람에게
성숙한 사람이
되어 보세요

유독 당신을 몰아가며
무례하게 대하는 사람이 있다.
그런 사람에게는 당신의 마음이 다치는 걸
보여주는 게 아니라 그 사람의
마음이 다치는 걸 때로는 느끼게
해줄 필요도 있다.

그 사람이 무슨 말을 하든
'나보다 못난 사람이니까'
라는 마음으로 그 사람을 대하다 보면

언젠가는 당신의 생각이
그 사람이 느끼는 생각이 되기도 한다.

인생의 한 장면으로

꼭 눈으로 보지
않더라도

힘들 때마다
꺼내볼 수 있는

추억의 한 장면을
만들어가는 인생.

돈으로
대체하지 않는
위로

마음이 힘들어지면
주변에선 상담을 받아보라고 권유한다.

그렇지만 문득 이런 생각이 든다.

굳이 돈을 내야지만
누군가에게 위로를 받을 수 있는 걸까.

상담 받는 것도 좋지만 그 무엇보다
더 큰 마음의 변화를 주는 건
대가 없는 위로의 말 한마디라는걸.

자주

표현해서

손해 볼 건

없으니까

자주 표현을 하고 싶어도
혹시라도 귀찮아하진 않을까,

너무 속 보이는 행동인 건 아닐까,

집착처럼 느껴지진 않을까 싶지만

자주 진심을 말한다는 건
누군가에겐
확신을 주는 것과 같다.

함부로 대하는 사람을 대하는 마음가짐

나에게 함부로 대하는 사람이 있다는 건
어쩌면
나를 생각해 줬기 때문이지 않을까 싶다.

나와 맞지 않는 사람이
나에게 함부로 대한다는 건
그만큼 내가 그 사람에게
진심이지 않았다는 증거니까.

세상이

지어준 색깔이

아닌

나만의

색깔로

세상이 지어준 틀에 맞춰서
남들 다 하는 대로 사는 삶이 아니라

자신의 방식대로 자신의 길을
나아가는 삶.

세상이 나의 가치를
정해주는 삶이 아니라

내가 나의 가치를 찾아가는 삶.

과정을 아는 유일한 사람

세상이 나를 보는 방법은
내가 이끌어낸 결과이다.

세상도, 그 누구도
나만큼은 나의 과정을
알 수가 없다.

과정 하나하나를
함께 해나간 나 스스로만큼은
스스로의 과정을 살필 줄 아는
사람이 되었으면 좋겠다.

소중한 사람에게 받은 상처

가장 오래도록
마음 한구석에 남아있는 상처를 말하자면
소중한 사람에게 받았던
상처이지 않을까 싶다.

너무 소중한 사람이라서,
혹여나 소중한 사람을 잃을까봐
제때 말 못하고 마음 깊이 그 상처들을
넣어두곤 한다.

생각해 보면
소중한 사람에겐 무조건
좋은 말만 듣고 싶은 욕심 때문에
그 상처가 스스로를 더
힘들게 하는 걸지도 모르겠다.

아홉 번의
완벽함과
한 번의
실수

일을 잘한다고 생각해왔던 사람이
한순간에 무너져버리는 순간은
한 번의 실수조차 허용되지 않을 때이다.
그동안 너무 잘해왔던 탓에
한번 자칫 잘못하면
주변에선 실수란 걸 할 줄 아는구나 싶은
표정으로 쳐다본다.
마치 실수를 하면 안되는 사람처럼
말이다.

그렇게 주변의 기대 속에 완벽함을
추구하는 사람에겐

그 사람의 실수를 인간다운 모습으로
자연스럽게 받아들이는
주변의 시선이 필요하다.

간직하고 싶은 순간

누구에게나
평생 마음에 묻어두고 싶은 순간이 있다.

보통 그 순간들은
누군가와 함께했던
시간들로 채워져 가겠지만

때로는 스스로와의 기억으로
채워졌으면 좋겠다.

당신은

누군가에게

작은

빛이라는걸

소리로 전달되지 않는 행복.

눈으로 보이지 않는 희망.

모두 말하고
보여주진 않았지만,

이미 당신이 누군가에게 준
선물입니다.

서로의

아픔에 있어서는

오로지

서로의

아픔에만

우리의 대화가 오로지
서로의 감정을 나눌 수 있는 시간이면
좋겠어요.

분명 앞으로 함께하면서
서로가 힘든 순간이 오겠지만,
그럴 때 오로지 서로의 아픔에는
서로의 아픔에만 집중하길 바라요.

다른 사람의 힘든 이야기는 듣고 싶지
않아요.

그저 서로가 아픔에
놓여있을 땐
서로의 아픔에만 집중할 수 있었으면
좋겠어요.

더
애틋해져 가는
관계

대화를 나누면 나눌수록
더 소중해져가는 관계

알아가면 알아갈수록 더
알아가고 싶은 관계

앞으로 함께할 나날들을
기대할 수 있는 관계

그렇게 더 애틋해져 가는
관계

그 무엇보다
건강이
우선

건강이 무너지면 그 무엇도 할 수 없다.
정확히 말하자면 할 용기가 안 난다.

건강이 무너지면 일을 할 때에 있어서
여러 제한이 걸리게 된다.

마음건강만큼이나 몸 건강도
정말 중요하다.

건강이 무너졌을 땐 오로지
건강에만 신경 썼으면 좋겠다.

건강이 무너졌다는 건
잠시 쉬어가라는 신호라는 걸
무시하지 않았으면 좋겠다.

맞지 않는

퍼즐을

너무

끼워 넣으려

하지

않기를

아무리 애쓰고
아무리 노력해도
당신의 가치를 알아주지 않는
사람에게까지
인정받을 필요는 없습니다.

작은 노력에도 그 가치를 알아주는
사람에게만 인정받을 수 있어도

당신은 그 어떠한 경우보다도
잘하고 있는 사람입니다.

빛에 숨겨진
어둠의
그림자

항상 밝은 사람일지라도
그 뒤엔 감춰진 그림자가 있습니다.

우린 그 그림자를
밟아보지 않아서
잘 모릅니다.

마냥 밝아 보이기만 합니다.

하지만

그런 밝음 뒤에는
늘 어두운 그늘이 있다는걸.

한번
무너진
신뢰

인간관계에 있어서
근본적인 믿음을 주는 걸
신뢰라고 할 수 있다.

이러한 신뢰가 한번 깨지게 되면
그동안 쌓아온 우정도, 사랑도
모두 한순간에 잃게 된다.

신뢰는 그 사람의 말과 행동에서
느낄 수 있다.
말과 행동은 때로
예상치 못한 소중한 인연을 만들어주기도,
때로는 소중한 인연을 잃게도 한다.

남들

신경쓰지 말고

스스로를

챙겨줘요

스스로를 챙긴다는 건
누구에게는 이기적이게
다가올 순 있어도

스스로를 챙긴다는 건 정말 중요하다.

다른 이들 챙기느라 정작
자기 자신은 항상 뒷전인 삶을
살아가고 있진 않은지.
자기 자신 마음 하나 못 챙기면서
다른 이들 마음 챙기느라 바쁘진 않은지.

어쩌면 자기 자신을 챙기고 사랑할 때에야
비로소 다른 이들을 후회 없이
챙겨줄 수 있지 않을까 싶다.

우리
잘 지내봐요

우리
잘 지내요.

밥 잘 먹고
잘 자고
푹 쉬고

우리 이렇게
오늘도
잘 지내봐요.

같이
나눠봐요

아무런 게 아니라면 우리 같이 나눠요.

아무렇지 않다면 꼭 말해줘요.

별일이 아니라면
나한테도 들려줘요.

아무 일 없더라도
그냥 같이 해요

우리.

아픔 속에 있는

너는

얼마나 더

나은 사람이

되려는 걸까

아플 만큼 아픈 거 같은데
넌 언제까지 더 아파야 하는 걸까.

아픔을 오늘도 견뎌가는 너는
얼마나 더 강해져야 하는 걸까.

아픔의 끝을 보려면 도대체 얼마나
더 먼 길을 가야 하는 걸까.

그래서 미안하고 고맙고 대견해.
그래도 버텨주는 네가 대단해.

이 아픔이 너를 더 나은 사람이 되게
하려고 도움을 주고 있는 건가 봐.

아픔의 끝에 너는 더 멋진 사람이
되어있겠지.

뚜렷한
목표가 없어도
괜찮아

남들은 다 목표가 있는데
왜 나만 없을까 싶을 때가 있다.

사실 따지고 보면 목표라는 건
미리 세울 수 없는 거다.

일단 해보고 그 과정에서
새로운 무언가를 도전하고 싶을 때
생기는 게 목표다.
목표는 정하는 게 아니라
찾아가는 것임을 기억했으면 좋겠다.

지금 당장 목표가 없더라도
일단 끌리는 대로 뭐라도 하다 보면
도전의 용기가 생길 것이고,
그 용기가 새로운 목표를 가져다줄 거다.

앞으로

남은

인생의 여정을

함께 하고픈

사람

인생의 남은 시간을
매 순간 함께 옆에 있을 순 없더라도

매 순간 마음속에 함께 할 수 있는
사람과 보내고 싶다.

필요할 때만 찾는 사람들

일도 인간관계도
꼭 필요한 순간에만 찾는
사람들이 있다.
자신에게 이득이 되고자
찾는 사람들.
그렇게 도움을 주면 마치 그 도움을
본인이 완성한 것처럼 포장해버린다.
그렇다고 해서 감사의 말을
제대로 전하는 것도 아니다.
그저 당연하듯 여긴다.
그렇게 배신이란 걸 느끼고 괜히
호구가 된듯한 기분이 든다.
다음에 똑같은 부탁을 했을 때
들어주지 않으면 괜히
속좁은 사람으로 만들어 버린다.
그런 사람들은 하루빨리라도
멀리하는 것만이 최선이다.

{에필로그}

삶의 의미도, 목적도 없이 방황하던
초등학교 시절을 보냈다. 중학교에
가면 괜찮아지겠지라며 작은 희망을
가져보았다. 그렇게 서울을 떠나 다른
지역으로 중학교에 입학을 했다.
그렇게 첫 수업을 듣던 날 일이다.
그 수업은 나에게 정말 선물 같은
시간이었다. 정확히 말하자면 그
선생님께서 해주신 말씀들이 선물이었다.
첫 수업부터 알 수 있었다.
저 선생님께서 얼마나 아이들을 위하는
선생님이신지.
그렇게 그 선생님 수업 시간이면
해주시는 모든 말씀들을 마음속 깊이
간직하고 싶었다.

어느 순간 딱 느꼈다.
나에게도 소중함이란 게 존재할 수
있다는 걸. 시간이 조금 지나 용기를
내서 그 선생님께 상담을 받아보기로
했고 그렇게 상담 날이 밝자 상담하는
시간만을 고대하며 기다렸다.
상담을 시작하고 몇 분쯤 됐을까,
갑자기 그냥 아무 이유 없이 초등학생 때
있었던 일을 처음으로 털어놓고 싶었다.
그렇게 하나부터 열까지 모든 걸 털어놓고
상담은 끝이 났다. 집에 가는 버스 안에서
문득 선생님께서 해주신 말씀들이
정말 하나의 장면처럼 머리에 맴돌았다.
그 중에서도 이 말씀이 머리에 박혔다.
"지안아, 지안이는 존재만으로도 충분히
소중한 사람이야, 그리고 이 넓은 세상
속에서 그것도 학교라는 좁은 공간에서
아직 진정한 친구가 없다는 건 어쩌면

당연한 게 아닐까" 이 말씀은 그동안
방황하던 나의 마음을 다독여주었다.
처음으로 상담을 받았던 그날은 아직도
내 마음속 깊이 존재하고 있다.
그렇게 점차 내 삶에 변화가 생기기
시작했다. 그때 선생님께서 주신 용기
덕분에 나는 2학년 때 전교부회장이
되었고 그렇게 선생님은 나의 인생에
있어서 롤 모델이 되었다.
선생님과 상담을 할 때면 말에는 힘이
있다는 걸 느낄 수 있었다.
선생님께서는 나뿐만 아니라 담임 맡은
30명 가량의 아이들은 물론이고
도움이 필요한 학생에게 망설임 없이
몇 시간이고 아이들을 위해 시간을 내어
주셨다. 정말 많은 아이들을 사랑으로
감싸주셨다. 누구 하나 더하거나 덜
주시지 않고 똑같이 사랑해 주시는

선생님의 그런 모습이 내가 선생님을
가장 존경하는 이유 중 하나이다.
중학교 2학년 때 소중한 사람을 떠나보낸
아픔을 겪고 방황할 때 다른 선생님들
께서는 나의 아픔을 알 리가 없었고
때로는 별일 아닐 거 알았다며
제대로 알지도 못하면서 상처를 주기도
하셨다. 그렇지만 그때마저도 가장
존경하는 선생님께서는 나에게 힘내라
하지 않으셨다. 그저 같이 버텨보자고만
하셨다. 그때 선생님께서 해주셨던 말씀
들은 지금도 나에게 위로를 준다.
그렇게 중학교 3학년 때 다시 서울로
전학을 가게 되었고 지금도 선생님께서는
언제나 나에게 큰 힘이 되어주고 계신다.

어쩌다 한 광고를 보게 되었는데
내용은 가정형편이 좋지 않아
어려움을 겪고 있는 한 청소년의
이야기였다. 그 이야기를 전해 듣고
문득 책을 쓰고 싶다는 생각을 했다.
세상에는 위로가 필요한 사람이 정말
많구나 싶었다. 그렇게 16년 인생
처음으로 책을 쓰게 되었고, 하루하루
위로가 필요한 이들에게 위안이 되길
바라며 정성 들여 차곡차곡 써 내려갔다.
그렇게 존경하는 선생님께도 책을 쓴다고
말씀을 드렸고 그때 내가 선생님께
"세상엔 위로가 필요한 사람이 참 많은거
같아요" 라고 말했다. 그러자 선생님께서
는 이렇게 말씀해 주셨다. "위로가 필요한
사람이 많다기보단 누구에게나 위로가 필
요한 거 같아" 선생님의 이 말씀은 책을
쓰는 나에게 정말 큰 용기가 되었다.

꼭 위로가 필요한 사람이 아니더라도
누구에게나 위로를 줄 수 있다는 생각이
나의 걱정을 덜어주었다.
삶을 살아가다 보면 예기치 못한 일들이
너무 갑작스럽게 찾아온다.
그러한 아픔이 가끔은 나의 길이
되어주기도 했다. 그렇게 소중한 인연도
만나게 되었고
소중한 기억도 선물로 받았다.
소중한 추억을 함께해 준 나의 가장
소중한 친구와 묵묵히 믿어주신 부모님,
그리고 너무나도 존경하는 선생님께
감사 인사를 드리며, 책을 읽어주신
모든 독자분들께 조금이나마 위안이
되는 시간이었길 간절히 바라며
나의 새로운 도전 위에 그 이름들을
새겨본다.